L'absence au jour

Du même auteur

Romans pour la jeunesse

Herménégilde l'Acadien, Montréal, éditions
    Hurtubise HMH, 2000

L'arbre à chaussettes, Montréal, éditions
    Hurtubise HMH, 2001

Le soufflé de mon père, Longueuil, Robert
    Soulières éditeur, 2002

Poésie

Mon île muette, haïkus, Ottawa, éditions
    David, 2001

MGEN
(902)

Alain Raimbault

L'absence au jour

Poésie

Université d'Ottawa
BIBLIOTHEQUES
LIBRARIES
University of Ottawa

Les Éditions
David

b 2386615 9

Les Éditions David remercient de leur appui :

Le Conseil des Arts du Canada,
le ministère du Patrimoine canadien,
par l'entremise du Partenariat interministériel
avec les communautés de langue officielle (PICLO),
le Secteur franco-ontarien du Conseil des arts de l'Ontario,
la Ville d'Ottawa.

Les Éditions David remercient également :

Coughlin & Associés Ltée,
le Cabinet juridique Emond Harnden,
la Firme comptable Vaillancourt ◆ Lavigne ◆ Ashman.

Données de catalogage avant publication (Canada)

Raimbault, Alain
        L'absence au jour

Poèmes.
ISBN 2-922109-64-X

   I. Titre.

PS8585.A339A73 2002   C841'.6   C2002-900385-7
PQ3919.2.R34A73 2002

Typographie et montage : Lynne Mackay
Illustrations : Carol LeBel

Les Éditions David
1678, rue Sansonnet
Ottawa (Ontario)
K1C 5Y7

Tél. : 613 830.3336   Téléc. : 613 830.2819
Courriel : ed.david@sympatico.ca
Internet : http://www3.sympatico.ca/ed.david

PS
8585
.A32
A73
2002

Tous droits réservés, 2002. Imprimé au Canada.

Le Conseil des Arts | The Canada Council
du Canada | for the Arts

ONTARIO ARTS COUNCIL
CONSEIL DES ARTS DE L'ONTARIO

Ottawa

à Yoann et à Arianna

1

l'errance

tu as peu vu le monde
le trajet immobile
te poursuit
tu sais ce que tu voles
ce que tu évites
le monde s'ensuit
jusqu'au dernier demain

les mots courent la rue
l'ombre se blottit sous le platane
et le banc fait rumeur
pas de travail dans le Midi
des touristes et des chômeurs
pays de vieux
pays d'ombres car le soleil
assèche la jeunesse
pas encore à l'âge
tu partiras

la nuit du départ
une pluie fine et dentelée
noie les régularités de ton visage
d'un geste sûr
le souvenir lisse et froid
laisse un ami au village
le jour dit
et la nuit arrache tes porcelaines

une route hasarde ses distances
tu perds pied
à la gare
tu reconnais aux vents des nuits
des sonneries grises
le tunnel tue le rail et ses cortèges
partir pour toi
vers cet espace inaccompli

le chemin te délie
de toute chance
un hasard d'ailes
de désirs
ton corps au vent
à l'endurance

les villes étrangères
se posent à la minute près
l'heure locale ne te dit rien de bon
tu choisiras sur place
guides fermés
l'illusion du décalage

enfin l'aéroport
avant le ciel
celui qui attache
quel départ
n'est point définitif

le temps du vol
déjoue le souvenir
rien de plus incertain
de plus hésitant
que ton image au sol
jadis
et l'imprévu

la mer de nuages
épouse tes équinoxes
et les éteint à petit feu
bercée au nid des vents contraires
tu laisses filer
le goût amer
d'un regret trop pur

terre
as-tu crié les yeux fermés
le monde naît sur la piste
à la première fois
tes habits déclarent un âge
dans la valise étroite

à la douane
le sentiment d'un accord facile
entre le flot du jour
et le soir en toi

l'ombre n'a pas de peau
tu cherches des signes
vers le vide de l'été naissant
ton pas défriche
la peur de l'innocente
des miniatures de l'horloge

le silence vit
de tes départs contre toi
des eaux malgré la lune
du ciel trop clair
de tes attentes

pas de terre définitive
ni de corps ni de langue
quel est ce mouvement
qui te prend
ce temps
qui te dépasse

le rythme berce la classe
les heures renoncent une à une
dans le couloir
les sacs laissés
seront poussés du pied
encore un jour
et l'autobus disparaîtra
qui deviens-tu dans les départs

le souvenir de l'homme indifférent
le temps perdu
dans l'étrange recherche
deux corps
au langage inaccompli
s'évitent

chaque rencontre
est le pays à habiter
le seul qui vaille
tes frontières seront sentimentales

autour du jour
ces lacs tango
où danse la forêt blanche
se mêlent tes errances
il neige encore
et le froid sec te berce

les femmes de peintres
brassent l'ocre des mémoires
elles te ressemblent
une image
un regard impatient
elles savent
précèdent l'œuvre au soir

tu te regardes vivre
et ne sais toujours pas
où poser le regard
le pays court
l'heure avance
si lentement baroque

le matin ment
effrontément
quelle couleur vaut son regard
cette voix étouffante
tu entrouvres la porte
à l'amertume

on ne sait rien de la passante
d'où elle vient
de son identité certaine
le front de mer épuise ses touristes
l'hiver encore à Halifax
t'assiège

ni géant ni chœur grec
dans le diable de l'autoroute 101
avant d'être muet
l'esprit souffrait l'offrande
les directions est-ouest
crucifient ta carte à présent

absente
en quête d'un élan de mots
d'un désir rare
nul ailleurs ne vaut
l'absence au jour

la mort lisse
court ses magies de glaces
tes mains froissées sur le volant
quelque péril
la nuit au corps

l'oubli se construit
aux compromis du temps
et de l'errance
coupable de silence
aucune échappatoire
sinon tenter la voie
ce sentier qui te défriche

l'obstination de l'évidence
reconnaît le chemin parcouru
les vains départs
c'est lucide que tu ne t'aimes pas
tu n'abolis que le passé
en somme

2

l'identité

à Paris tu rôdes
touriste de ta naissance
un hiver négligeable
il fallait bien un lieu
la ville incompréhensible
te résume et te nie

tu voyais bien combien
ton acte de naissance
posait problème
l'avons-nous modifié
ton nom
ils se trompent de père
mais à quoi bon
le père improbable
ne croît pas en toi

le refuge permis
cinq ans au chaud
mère de cœur
le vrai pays d'âme et d'amour
le Sud toise l'ailleurs
un peu plus tard
un peu plus froid

de ces terres brûlées
où les vignes demeurent
quelques châteaux d'aigles
des villages blancs
rien ne passe
sinon le soir
tiède
d'amandes et de soufre

la cité de Carcassonne
enivre ses vignes
quand les banlieues neuves
étouffent les pauvres sous De Gaulle
entre terre et bleu
l'espoir du départ
ensoleillé vif ˙
fuir ta jeunesse
la zone d'ombre

* Édouard J. Maunick.

loin du pupitre
la solitude du corps perdu
autour de l'église
le jour t'attend et te refuse
un climat extérieur aux confidences
dimanche d'église
tu détestes les démissions divines
de tes maîtresses

le cœur quitte la peau
il s'élève à hauteur de songe
le départ rompt les vignes noires
se heurte à la muraille d'Espagne
Franco agonise à Madrid
dans la nuit du tricorne fou

l'autre se joue en toi
tes identités du soir
coupent dur les silences
le miroir te déjoue
l'image sûre tait le nom
qui te dresse
toi ou l'autre

sur la route de banlieue nord
l'extension du domaine étranger
défile au-dehors
aucune connivence
avec les temples grecs à loyer modéré
où tu zigzagues
et laisses à l'envi

tu dormirais sur la falaise
l'horizon ôterait sa lumière franche
et la nuit s'évaderait du songe
mais le ventre mûr tremble
contre le continent

un soleil de sable t'enlace
le galant des tours
embrasse les gitanes
quand Lorca récite
le désert andalou

Halifax replie ses sécheresses
de la Citadelle au quai 21
la ville se tait
les drames s'achèvent
la ville neuve et franche
te tait

l'as-tu gagné
cet emploi de briques rouges
enseignante encore
nulle dépossession
et le temps demeure

ton ombre colle à la neige
comme une petite nuit
où l'autre corps somnole
la lumière aussi
donne le ton

le froid nu
marque ton visage
des larmes au vent
ruissellent sur la tempe
jour de tempête
elles s'insinuent

un bonheur à prendre
sans témoin ni artifice
la Baie
aux solitudes sûres

tu songes à tes courses
sous un climat plus chaud
dans la Vallée
à l'affût de toi-même
tu espères
un cœur cherche ses mots

tu désires faire halte
laisser quelques années
le destin sur le seuil
sans toi
la vie passerait
juste le choix de dire
que la vie passerait

adossée à la grande lumière
seul le froid est si clair
tu ne redoutes plus
tes fantômes narquois
un instant dans le bleu

tu ne peux épuiser le matin
il renouvelle ce jour de blanc
et d'ombres lasses
il t'enrobe
pour mieux vêtir tes paresses
il te presse
entre ses vents

tu as brisé les liens
de ce chant grégorien
un vieux pays de lettres
lentement le deuil se clôt
l'heure nouvelle tisse à deux temps
un méridien latin

comme si la nudité
liait un printemps
son pollen
à chaque flocon
et tu vis
dans le don d'un soleil

laisse faire
cette lumière dévêtue
de ses voyelles
vers un silence blanc
tu veilles à l'invisible

tes amies te manquent
la nuit d'Europe
comme une attente
à l'affût d'une amitié fidèle
longue plainte nocturne
de femme mûre

ton désir s'effiloche
et l'impatience est feinte
plus de quête
d'un amour éternel
l'absolu se résigne à l'absence
seule
et tu vis d'un oubli

qui refuse en toi
pauvres tu embrasses
et mal étreins
il n'est plus temps des solitudes
quand l'autre s'habitue
à l'éveil des promesses

avant les fièvres
les renoncements
le ciel à portée d'encolure
ta peau durcit le bleu
épouse un conte
le souffle d'avant

mais tu trembles
devant l'or des gisants
les façades romanes
où Rabelais fulmine
quelques mots restent
à assembler

au fond de l'œil
un mélèze tire sa chaîne
ton regard embrase
les impressions de l'ombre
l'amour perdu de vue
dresse la liste des ruptures

entends l'appel du Sud
à la lisière de l'envie
plus rien à taire
l'accent souligne
un autre imaginaire

tu as le temps
tellement l'hiver
te pousse aux gestes simples

le sol retourne aux visages
la rue Spring Garden s'éclaire
d'un soleil naïf
bon à prendre

à l'épreuve du seul
dans les janviers de ta colère
le jour extrême
des bouts d'amour crépitent
face à ta surdité lâche

ta violence soudaine
n'assume pas le cœur tu
l'intuition chahute une vie au-dehors
un vieil homme rompt la neige
il te salue
mille et un jours
sous le pas des sentinelles

à quel mirage veilles-tu
dans la chambre sans fauve
le feu couve à demi-mot
puis s'étouffe
comme l'enfance lointaine

se lassent les peurs
les amertumes
il te faudrait laisser
piaffer de beau et d'attentes
au large
tu serais deux dans le présent

le deuil des temps écorchés vif
des bûchers de paille
du galop et du captif
nul ne demeure
sur la terre qui te vit

plus loin
un frisson se disperse
sur ta peau brune
le corps tient parole

3

l'écriture

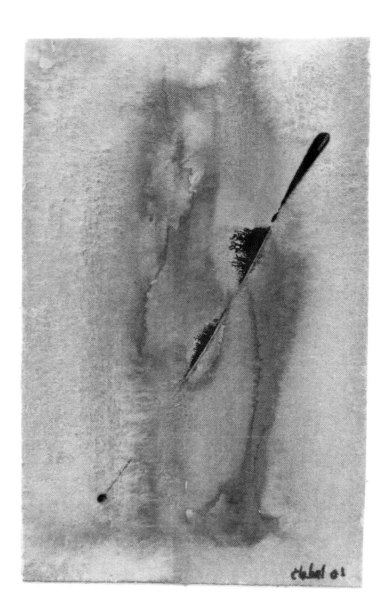

Félines Minervois
Richelieu
tu dures dans le temps de l'autre
de cette mère assoiffée de violence
te battre pour survivre
la peste te durcit
tu lui survis par l'écriture
l'écrit endure toutes les haines

ânonner les sentences
de ta sœur
que la langue condamne
tu récites son alphabet
rassembles ses errances
arme imprévue
tu diras mieux
et plus
et plus souvent
urgence en la demeure
péril dans le silence

les heures de l'école te sauvent
du temps trahi
rester
immobile et seul
volets tirés
le livre ouvert te définit

les écoles t'unissent
à l'hiver
aux soirs dévisagés
aux heures de l'ennui
fidèles à la lettre

le temps n'aurait pu t'écrire
de vieilles lettres
la nostalgie du livre perdu
court dans la brume
tes songes d'une terre
intime
et maritime

sous l'eau
ton corps est lourd et lent
comme écrire
plié en toi
hors du monde connu
le mot assoiffe l'encre
dit l'absence et son chemin

le cœur à l'étroit
œuvre à l'agence de pierres
sortir au bois
au seul
dire le peu de toi-même

le temps des méridiens
te livre à la grande lumière
incertaine
de l'océan de terre
tu as trop chaud
ne parle plus la langue

l'anglais des murs
te vend des fritures françaises
attendre une faim sans mot
mais les mots bâtissent
ces rues de briques et de bois
et la langue te nomme

où l'on ne parle pas d'amour
le chant tue son air
et le silence
nuit à l'aube
il te dissimule
un faux jour
de peinture flamande

vivre ensemble
mais dans quelle langue rêver
entre toi et l'avenir
la narration d'un autre monde
se dessine

comme un accord tacite
l'oreille courbe l'accent
ton journal réduit ses paragraphes
une page
deux lignes
prends garde à toi
aux séductions trahies

les enfants marchent vers l'école
ils exigent à la vie
un bonheur étonné
tu joueras
pour ce public à conquérir
qui aura aimé

l'escalier d'ivoire
n'est plus que friche de neige
une page écrite en blanc
et le vent signe la plaine
une émotion renaît
tu la voudrais lointaine
un secret mal gardé

trop tôt encore
pour témoigner d'un présent
sans racine
l'écriture nouvelle
attend d'avoir vécu

tu écrirais de toi
sans aucune réponse
des lettres en signet
marqueront le temps
les lettres t'éloignent
le mur s'érige désormais
en frontière

souviens-toi
des lignes de ta main
où s'entrecroisaient les torrents
souviens-toi qu'écrire
ne suffit jamais

Glooscap et Gargantua
sommeillent au Cap Fendu
tu fermes le livre
récites en latin
quelque élégie
dans la Baie de Fundy

née au ciel
dans les vallées sèches
ta langue courbe
l'architecture des neiges
et l'oubli facile

tes mots abreuvent la pluie
ni fugace
ni joyeuse non plus
une brume hésitante
enveloppe ta main
laquelle frémit
humble à l'épiphanie

un signe et l'oreille accroche
trop vite lu
dans la nuit au bout de l'eau
au bout du souffle irrégulier
un saut
une phosphorescence

les hommes peu à peu
retournent au secret
à l'inutile promesse
lasse du corps mais en paix
tu reviendras
à l'étymologie du geste
Babel des danses citadines

chercher ne compte pas
c'est laisser dire
laisser aimer encore
au soir du Nord

née des paroles
des valses du non-dit
la main tire le territoire
où la saison hésite
où se dessine un nom

4

la mer

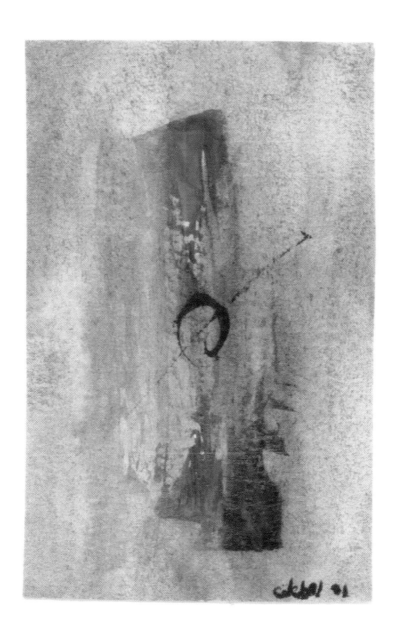

la mer du milieu
couronne les îles
ses vagues de sel
cherchent ta solitude
l'innocence à perdre

les eaux salées
brûlent tes joues
le sel creuse le matin
et cerne le feu
alors tu cèdes au silence
une tristesse dans tes cheveux défaits

les images du jazz
accompagnent tes fatigues
un air en accord
avec le bord de mer
les soubresauts d'une route
où le jour décroît

il y aurait Halifax ville ouverte
un Cap Fendu en bout de Baie
une Amérique au loin
vers la vallée de sel
et tu attends peut-être
qu'un soleil te prenne

un enfant possible
arrache un cri au vent
une vague
elle se retire
heureusement le froid
tait ta colère

ainsi tu te dévêts
le corps perd la trace
d'un âge révolu
hors d'haleine et d'amour
un fleuve en toi
au contre-jour de l'homme
étreint un songe

l'écho du hautbois
monte une gamme orientale
depuis la citadelle
le port en hauts fonds
accueille des femmes noires
une ville du passé
ni signe ni accord

qui deviens-tu
dans cette Baie inhabitée
l'Île Haute
adoube ses cormorans
trois phoques à la dérive

loin de toi
dans cette mer éprise
ta vie accourt
comme la marée
sa démesure

l'agora du Bassin des Mines
est d'argile
la mer renferme l'ocre
de tes impossibles départs
tu ne peux fuir
le vent trop bleu
l'horizon indocile

nue
d'un cri de grâce
tu recommences l'enfant
la chevelure au vent
le jour attire
ta voix
ses steppes mutines

Achevé d'imprimer
sur les presses de l'Imprimerie
AGMV Marquis (Cap Saint-Ignace)
Québec, Canada
en février deux mille deux